사람의 전쟁 2

-문학의 눈으로 바라보는 한국전쟁 70년

차례

* 책 하단에 있는 QR코드를 스마트폰으로 인식하면 영상, 시낭송, 낭독공연, 구술 등 1권의 내용을 2권에서 시각과 청각으로 감상할 수 있습니다.

제목: 골령골

심유나(한남대 회화과)

영상에세이

전쟁의 흔적이 남아 있는 대전의 공간들
영상 보기

옛 대전형무소 터, 망루

한국전쟁 다시 대전형무소에서 끌려간 사람들은 골령골에서 집단 학살되고,

형무소 우물에는 시신들이 켜켜이 쌓여 피비린내가 진동했다.

옛 대전형무소 터, 우물

산내 골령골

산내 골령골, 세상에서 가장 긴 무덤이라 불리는 집단학살의 현장.

70년 세월 여전히 밝혀지지 않은 진실은 묻혀 있고. 최종발포명령자와 명령체계는 하루빨리 밝혀져야 할 터.

8 영상 보기

옛 충남도청사

거룩한 말씀의 수녀회 성당
Church of the Congregation of the Sacred Word

거룩한말씀의수녀회 성당

대전에 처음으로 세워진 성당.

북한군에 의해 신부와 신도들이 학살된 비극의 현장. 성당 일대에서는 수많은 민간인들이 희생됐다.

서사시 「골령골」 낭송
시낭송 영상 보기

시, 낭송 함순례

장소 테미오래 1호관사

그 사이 뗏장은 푸른 옷으로 갈아입었다
어김없이 계절은 바뀌어도

세상 밖으로 나오지 못하는 사람들
함부로 구겨지고 부서진 사람들

세상에서 가장 긴 무덤 위로
향이 스며 흐르고

멈추지 않는 그리움

잠들 수 없는 고통이

우거진 골짜기

쓸쓸하고 쓸쓸한

새소리만 골수에 사무친다

하루라도 위태롭지 않은 날 없었다

아파도 아프다고 말할 수 없었던 마음

미래의 전쟁 비법

?
야!
야!

칼국수
칼국수
3

그림

김지완, 윤새봄, 채송화

대전을 관통한 전쟁의 흔적들

대전여행협동조합 안여종 대표와 오마이뉴스 심규상 기자의 구술로 듣는 대전의 전쟁 이야기

대전전투

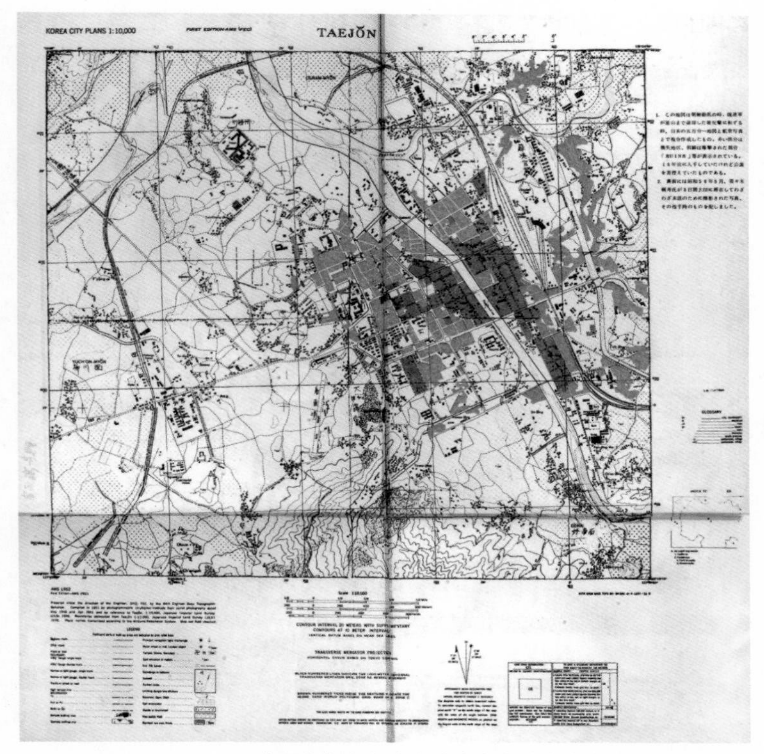

한국전쟁 당시 대전 시가지의 피해 상황을 보여주는 지도

“7월 19일하고 7월 20일인데, 20일 날 새벽 3시부터 전면 공격을 합니다. 그러니까 19일은 야크기라고 당시 소련제, 북한이 소유했던 비행기가 야크기에요. 이 야크기가 한 십여 대 정도 뜨거든요. 그래서 일부는 격추되고, 그리고 그 야크기의 공격으로 나름의 흔적들, 그 당시에 있었던 건물들의 흔적들 간직할 수 있잖아요. 여기 도청 같은 경우는 거의 총알 자국이 없어요. 총탄 흔

적이. 그런데 우리가 조금 이따 가려고 하는 한밭교육박물관, 옛날에 삼성초등학교. 예, 그 건물 외벽에 기총소사라고 하죠. 비행기에서 쏜 총탄 흔적이 한 백여 개 이상 쭉 있거든요. 그런 것들을 확인할 수 있죠." (대전여행협동조합 안여종 대표)

대전전쟁
음성 듣기

옛 충남도청사

精神啓發運動
五月은協同團結의달
政治는正也 行政도正也
自己本分을잊지말

“여기는 우리가 간과하는 게 뭐가 있냐면, 우리가 임시수도 이러면 부산을 떠올려요. 부산에는 임시수도 관련된 전시관도 있기 때문에 부산에 또 임시수도 기간이 오래됐고 하다 보니 거기에 그 어떤 임시수도 하면 부산이라고 하는 인지도가 굉장히 강한데, 21일 정도 그러니까 1950년 6월 27일부터 16일까지 한 21일 정도 되는데 그 기간 동안 대한민국 정부 수립 최초의 임시수도가 대전인 거예요. 우리는 그 짧은 21일 동안의 임시수도 대전과 관련된 조사, 연구가 거의 없다고 봐야 합니다. 그 임시수도가 쉽게 말해서 중앙청 역할을 했던 거죠. 그리고 이제 기간, 기간별로 바뀌게 되는데 초창기 때 그러다가 자꾸 전세가 악화되면서 임시수도를 대구로 이전을 한단 말이에요. 대전, 대구 그리고 부산. 이런 순서대로 임시수도가 변경이 되는데, 전쟁이 급해지는 상황에서는 여기가 육군 본부였고 그다음에 미군에는 지휘부, 사령부. 사령부가 여기에 있었습니다. 그런 역할을 했던 건물이라고 보시면 돼요.” (대전여행협동조합 안여종 대표)

옛 충남도청사

음성 듣기

대전형무소

“망루는 이제 그 수감자들이 탈출하는 것을 방지하기 위한 감시초소 같은 역할이고요. 거꾸로 외부에서 쳐들어올 수도 있잖아요. 그런 것도 같이 양쪽으로 감시하기 위한 초소예요. 사실 이

우물은 굉장히 가슴 아픈 그런 현장인데요. 9월 말에 수복하고 여길 와보니까 지금 보시는 우물은 큰 우물이라고 하는데 이렇게 큰 우물이 두 개가 있었고, 이거보다 좀 더 작은 우물이 두 개, 총 네 개 정도의 우물이 있었던 거로 알려져 있습니다. 근데 여기에만 시신이 거의 백칠십 구 이상 있었다는 겁니다. 그래서 바닥부터 이 위까지 거의 꽉 차 있을 정도로 시신이 여기에서 수습이 됐다는 거예요." (대전여행협동조합 안여종 대표)

대전형무소

음성 듣기

거룩한 말씀의 수녀회 성당

“벽면들을 보면 붉은 벽돌이다, 하는 느낌이 들죠? 그런데 여기 북한군의, 인민군의 당시 정치보위부가 있었어요. 정치보위부의 역할은 사상검증이었어요. 그래서 소위 우익들을 잡아놓고 심문도 하고 했던 총본부라고 볼 수 있는데 여기에 아일랜드 선

교사라든가 캐나다, 미국, 프랑스 선교사 같은 분들이 잡혀 있었어요. 결국은 여기서 학살이 되는데 총살이라고 표현되어 있습니다. 정확한 위치가 어딘지를 모르지만 이 인근에서 자행된 거로 보이고요. 프랑스 쪽 신부들이 제일 많아요. 한 일곱 분 정도? 아일랜드 두 분, 캐나다하고 미국은 한 분씩. 그래서 총 열한 분 외국인 선교사들이 여기서 죽게 되고요. 그다음에 원래 여기 본당에 강 신부님이라고 했던 분은 여기서 끌려갑니다. 끌려가서 그 해 12월에 중강진 쪽에서 돌아가신 거로 알려져 있어요. 그래서 순교자 명단에는 열두 분의, 여기 본당의 신부님까지 해서 열두 분이 순교했다라고 여기 목동 성당 밑에 그분들의 이름이 다 써 있어요." (대전여행협동조합 안여종 대표)

"인민군에 의한, 적대 세력에 의한 희생 사건은 매우 큰 규모로 이루어졌죠. 인민군이 철수 직전인 9월 25일부터 26일 새벽에 우익 인사 최소 천오백여 명을 집단 학살했는데요. 형무소에서 대전형무소 당시에 거기에서 희생이 됐다, 우물터에서 죽였다 뭐 이렇게만 알려져 있는데 일부는 형무소에서 일부는 용두동 현재 대전 선병원이 있는 산기슭 그쪽에서 오백여 명 그리고 목동 성당, 수녀원이라고 하나요? 거기에서 또 수백여 명. 또 대전경찰서 거기에서 미군도 여러 명이 희생이 되고요. 또 되게 여러 지역에서 학살이 이루어지죠." (오마이뉴스 심규상 기자)

수녀회 성당
음성 듣기

한밭교육박물관

“대전에는 총탄 흔적이 확인된 건물들이 많지가 않아요. 거의 이 건물이 유일하다고 볼 수 있구요. 워낙 다 파괴되었기 때문에, 그래서 그 삼성화재 건물도 벽면 다 보고 도청도 꼼꼼히 다 보고 했는데 못 찾겠고요. 이 건물에 포치라고 해서 입구 있죠? 입구에 뒤쪽으로 태극기봉 쪽으로 중간에 하얀 띠하고 붉은 벽돌 있는 사이에 지금 올린 사진처럼 시멘트로 이렇게 때운 듯한 느낌으로 있죠? 이렇게 시멘트로 때워진 거죠. 저기서 보면 살짝 보입니다. 1층과 2층 사이에 잘 보면 하얀 거 지나서 중간에 붉은색에 시멘트 발라놓은 것처럼 보입니다. 그게 한 백여 개가 쭉 있어요. 그게 바로 총탄 흔적입니다. 근데 이제 일부는 다 때우지 않아서 보여요.” (대전여행협동조합 안여종 대표)

한밭교육박물관
음성 듣기

산내 골령골

“전쟁이 1950년 6월에 터지잖아요. 50년 6월 말부터 이듬해 초까지 대전형무소 재소자와 그리고 대전충남북 일원에 있는 보도연맹원 등이 최소 사천 명에서 많게는 칠천 명까지 민간인들이 군인과 경찰에 의해서 집단 학살된 사건을 말합니다. 첫 학살은 6월 28일부터 약 3일간 일어나서 천사백 명 정도가 희생이 되고요. 두 번째 학살은 7월 첫째 주에 약 3일간에 걸쳐서 약 천팔백여 명이 희생되고 3차 학살은 7월 중순 경에 이루어져서 그때도 약 천육백여 명 정도가 최대 희생된 걸로. 그 나머지는 전부 이제 인민군들이 물러가고 난 다음에 인민군한테 부역했다는 혐의로 희생이 돼서 총 4차에 걸친 학살이 있었다, 이렇게 보고 있습니다. 첫 학살은 주로 보도연맹원하고 요시찰들이었어요. 이분들이 주로 보도연맹원하면 생소할 수 있는데 1949년 4월에 좌

익 전향자들을 계몽하고 지도하기 위해서 조직된 관변단체에요. 그래서 공산주의 배격 이런 것들이 주요 목적이 되죠. 근데 주로 전향자들을 반공이념으로 개조하기 위해서 만든 단체라 계속 계몽과 교육 활동들을 보도연맹의 가입자들한테 하죠. 주로 검찰이 주도적으로 이 조직을 주도해서 정부 기관들이 나서서 만들었고요. 초기에는 전향자들이 대부분 가입을 했다가 나중에는 이제 말단 행정기관의 가입자들이 할당이 됩니다. 그래서 좌익 활동과 관련 없는 대부분의 사람들이 사상하고 무관하게 할당 숫자를 채우기 위해서 가입이 되면서 이게 기하급수적으로 늘어나게 되죠. 이분들이 첫 학살 때 주로 희생이 되고요. 두 번째 학살은 7월 초에 대전형무소에 수감되어 있던 정치범들. 제주 4·3 관련자, 여순사건 관련자 그리고 숙군들. 주로 세 부류의 사람들이 가장 많았고요. 세 번째는 아까 비슷하게 보도연맹원들. 또 끌려와서 그렇게 되고, 마지막은 부역 혐의자들. 인민군에 동조했다, 쌀 갖다 줬다, 심부름했다. 이런 혐의들로 끌려가서 죽습니다. 크게 보면 그렇게 네 차례에 걸쳐서 약 사천 명에서 칠천 명 그렇게 보고 있습니다." (오마이뉴스 심규상 기자)

산내골령골
음성 듣기

골령골에서 발굴된 유골들

사진 제공: 오마이뉴스, 대전광역시

구술 제공: 대전 MBC

구술자의 설명을 체감할 수 있도록 녹취원고는 최대한 원본에 가깝게 수정하지 않고 풀었습니다.

낭독공연

극본	정덕재
연출	김나무
배우	이종목 (관사 돌보는 남자) 신정임 (관사에서 살림하는 여자) 엄성현 (관사 경비병, 기관사 1인 2역) 서윤경 (내레이션)
의상	우금치 임재욱
공연장소	구석으로부터
영상제작	스토리밥작가협동조합 영상제작소 시점

낭독공연 「계란을 먹을 수 있는 자격」
낭독공연 영상 보기

남자가 계란 하나를 슬그머니 집어든다.

남자 : 지난 설에 먹어보고 처음 먹는 거라 계란 맛이 뭔지도 잊어버렸어. 이제서야 잊고 있었던 계란 맛을 확인하다니...

남자가 계란을 먹으려는데 군복 차림의 경비병이 들어오다가 그 모습을 본다. 경비병의 힘들어하던 표정이 밝아진다.

청년1 : 아저씨 물 한 잔 마실 수... 아니 계란 하나 마실 수... 아니지 계란 하나 먹을 수 있을까요?

남자 : 뭐 계란이라고! 젊은 사람이 벌써부터 계란을 밝히면 못쓰지.

청년1 : 그럼 계란은 몇 살 때부터 밝혀야 하나요?

남자 : 젊은이는 몇 살 때 계란을 먹어봤는가?

청년1 : 그거야 잘 기억은 나지 않죠. 어릴 적 밥상에서 할아버지만 드시던 모습이 어렴풋이 생각나긴 하지만요...

남자 ; 할아버지가 그 계란을 혼자 드셨남? 손자한테 나눠주셨남?

청년1 : 할아버지 혼자 드셨는데...

남자 : 이기심이 많은 할아버지를 두었군.

청년1 : 왜 갑자기 남의 집안을 이기적으로 만드시나요. 무슨 자격으로.

남자 : 자격이라면, 나는 계란을 먹을 수 있는 자격이 있다는 것이고, 젊은이는 아직 계란을 먹을 수 있는 자격이 없다는 차이지.

청년1 : 할아버지가 계란을 먹을 때 그 모습을 바라보던 제 심정을 아시나요? 침이 꼴깍꼴깍 넘어가는 것을 들키지 않으려고 해도 목젖이 울룩불룩 들어갔다 나왔다 하면서... 아저씨도 그런 시절을 겪었을 거 아닙니까? 지나온 시절을 까마귀 고기 먹은 사람처럼 까맣게 잊어버린 사람이 과연 계란을 먹을 자격이

시 소설 르포 희곡 동화 영상 연극 웹툰
융복합프로젝트

6월
하순
발간

스토리밥 작가협동조합이 한국전쟁 70년을 기억하는 책 두 권을 동시에 발간합니다

6.25 한국전쟁 70년을 돌아보는
대전지역의 문화예술인들

스토리밥 작가들이
전쟁의 상처를 문학적 상상으로

책 제작

발표회 및 낭독공연

일시

2020년 6월 2일(화) 오전 11시 30분~

장소

구석으로부터 (대전 동구 정동 소재)

내용

한국전쟁 70년 프로젝트
<전쟁은 끝나지 않았다>(가제) 1.2권 발간 설명

책에 실는 희곡 작품 낭독공연
(지역 극단 배우들이 일부 장면 시연)

책에 실는 시 낭송, 소설 및 르포 낭독

★

1.2권의 책은 문자로 읽거나, 영상파일로 감상 및
오디오 파일로 들을 수 있도록 제작합니다 **(6월 25일 발간 예정)**

낭독공연은 코로나 19의 감염예방을 위해 문화예술인과 언론인 등
일부만을 대상으로 하여, 공연은 영상으로 제작해
6월 25일 이후 누구나 온라인으로 접할 수 있습니다.
추후 상세 안내.

굳세어라 금순아 – 강사랑 작사 박시춘 작곡

눈보라가 휘날리는 바람 찬 흥남부두에
목을 놓아 불러봤다 찾아를 봤다
금순아 어데로 가고 길을 잃고 헤매었더냐
피눈물을 흘리면서 일사 이후 나 홀로 왔다

일가친척 없는 몸이 지금은 무엇을 하나
이내 몸은 국제시장 장사치기다
금순아 보고 싶구나 고향 꿈도 그리워질 때
영도다리 난간 위에 초생달만 외로이 떴다

굳세어라 금순아
노래 듣기

꿈에 본 내 고향 – 박두환 작사 김기태 작곡

1.

고향이 그리워도 못 가는 신세

저 하늘 저 산 아래 아득한 천리

언제나 외로워라 타향에서 우는 몸

꿈에 본 내 고향이 마냥 그리워

2.

고향을 떠나온 지 몇몇 해던가

타관 땅 돌고 돌아 헤매는 이 몸

내 부모 내 형제를 그 언제나 만나리

꿈에 본 내 고향을 차마 못 잊어

꿈에 본 내 고향

노래 듣기

단장의 미아리 고개 - 반야월 작사 이재호 작곡

미아리 눈물 고개 님이 넘던 이별 고개
화약 연기 앞을 가려 눈 못 뜨고 헤매일 때
당신은 철삿줄로 두 손 꽁꽁 묶인 채로
뒤돌아보고 또 돌아보고 맨발로 절며절며
끌려가신 이 고개여 한 많은 미아리 고개

여보 당신은 지금 어디서 무얼 하고 계세요
어린 자식은 오늘도 아빠를 그리며 막 잠들었어요
동지섣달 기나긴 밤 북풍한설 몰아칠 때
당신은 감옥살이 그 얼마나 고생을 하세요
십 년이 가도 백 년이 가도 부디 살아만 돌아오세요 네 여보

아빠를 기다리다 어린 것은 잠이 들고
동지섣달 기나긴 밤 북풍한설 몰아칠 때
당신은 감옥살이 그얼마나 고생하오
십 년이 가도 백 년이 가도 살아만 돌아오소
울고 넘던 그 고개여 한 많은 미아리 고개

단장의 미아리 고개
노래 듣기

대전 부르스 – 최치수 작사 김부해 작곡

잘 있거라 나는 간다 이별의 말도 없이
떠나가는 새벽열차 대전발 영시 오십분
세상은 잠이 들어 고요한 이 밤
나만이 소리치며 울 줄이야
아 붙잡아도 뿌리치는 목포행 완행열차

기적소리 슬피 우는 이별의 플랫폼
무정하게 떠나가는 대전발 영시 오십분
영원히 변치 말자 맹세했건만
눈물로 헤어지는 쓰라린 심정
아 부슬비에 젖어가는 목포행 완행열차

대전 부르스
노래 듣기

못 잊을 대전의 밤 – 이삼항 작사 김현 작곡

가로등 희미한 목척교에 기대 서서
나 홀로 외로이 이슬비를 맞으면서
그 옛날 그 님을 안타까이 불러보는
첫사랑 못 잊는 대전의 밤이여

오늘도 가랑비 소리없이 내리는데
쓸쓸한 이 마음 의지할 수 없는 이 몸
바람만 불어도 흔들리는 이내 신세
옛사랑 못 잊는 대전의 밤이여

못 잊을 대전의 밤
노래 듣기

승리의 노래 - 이선근 작사 권태호 작곡

1.

무찌르자 오랑캐 몇백만이냐

대한 남아 가는 데 초개로구나

나아가자 나아가 승리의 길로

나아가자 나아가 승리의 길로

2.

쳐부수자 공산군 몇천만이냐

우리 국군 진격에 섬멸뿐이다

3.

용감하다 UN군 우리와 함께

지쳐간다 적진에 맹호와 같이

승리의 노래

노래 듣기

이별의 부산 정거장 - 유호 작사 박시춘 작곡

보슬비가 소리도 없이 이별 슬픈 부산 정거장
잘 가세요 잘 있어요 눈물의 기적이 운다
한 많은 피난살이 설움도 많아 그래도 잊지 못할
판잣집이여 경상도 사투리에
아가씨가 슬피 우네 이별의 부산 정거장
서울 가는 십이열차에 기대 앉은 젊은 나그네
시름없이 내다보는 창밖에 기적이 운다

쓰라린 피난살이 지나고 보니
그래도 끊지 못할 순정 때문에
기적도 목이 메어 소리 높이 우는구나
이별의 부산 정거장

가기 전에 떠나기 전에 하고 싶은 말 한마디를
유리창에 그려보는 그 마음 안타까워라
고향에 가시거든 잊지를 말고
한두 자 봄소식을 전해주소서
몸부림치는 몸을 뿌리치고 떠나가는
이별의 부산 정거장

이별의 부산 정거장
노래 듣기

전선야곡 - 유호 작사 박시춘 작곡

가랑잎이 휘날리는 전선의 달밤
소리 없이 내리는 이슬도 차가운데
단잠을 못 이루고 돌아눕는 귓가에
장부의 길 일러주신 어머님의 목소리
아— 그 목소리 그리워

들려오는 총소리를 자장가 삼아
꿈길 속에 달려간 내 고향 내 집에는
정한수 떠 놓고서 이 아들의 공 비는
어머님의 흰머리가 눈부시어 울었소
아— 쓸어안고 싶었소

전선야곡
노래 듣기

전우야 잘 자라 - 유호 작사 박시춘 작곡

전우의 시체를 넘고, 넘어
앞으로 앞으로
낙동강아 잘 있거라
우리는 전진한다
원한이야 피에 맺힌
적군을 무찌르고서
꽃잎처럼 사라져간
전우야 잘 자라
전우의 시체를 넘고, 넘어
앞으로 앞으로
낙동강아 잘 있거라
우리는 전진한다
원한이야 피에 맺힌
적군을 무찌르고서
꽃잎처럼 사라져간 전우야 잘 자라

전우야 잘 자라
노래 듣기

사람의 전쟁 2

-문학의 눈으로 바라보는 한국전쟁 70년

펴낸날	2020년 6월 25일
펴낸이	스토리밥작가협동조합
기획	스토리밥작가협동조합
디자인 및 제작	도서출판 걷는사람
등록	2016년 11월 18일 제25100-2016-000083호
주소	서울 마포구 월드컵로16길 51 서교자이빌 304호
전화	02 323 2602
홈페이지	walker2017.com
인쇄	스크린그래픽

ISBN 979-11-89128-75-3

ISBN 979-11-89128-73-9 [04128] 세트

* 이 책은 대전문화재단이 펼친 '협업형예술창작생태계지원사업'에 선정되어 만들어졌습니다.
* 이 책의 국립중앙도서관 출판시도서목록(CIP)은 서지정보유통지원시스템 홈페이지(http://www.seoji.nl.go.kr)와 국가자료공동목록시스템 홈페이지(http://www. nl.go.kr/kolisnet)에서 이용할 수 있습니다. (CIP제어번호: 2020024206)